Stephanie Bl

Caca boudin

lutin poche de l'école des loisirs
11, rue de Sèvres, Paris 6ᵉ

Il
était
une
fois
un lapin qui
ne savait dire
qu'UNE
chose…

Caca boudin

Le matin,
sa maman
lui disait :
« Debout
mon petit lapin ! »
Il répondait :

Caca
boudin

Le midi,
son papa
lui disait :
« Mange tes épinards,
mon petit lapin ! »
Il répondait :

Caca
boudin

Le soir,
sa grande sœur
lui disait :
«Viens prendre ton bain,
mon petit lapin !»
Il répondait :

Caca
boudin

Un jour,
un loup
lui dit :
« Je peux te manger,
mon petit lapin ? »
Il répondit :

Caca
boudin

Alors,
le loup
mangea
le petit lapin.

Lorsque le loup
rentra
chez lui,
sa femme lui dit :
« Ça va, mon chéri ? »
Le loup répondit :

Caca boudin

Quelques
heures
plus tard,
le loup
ne se sentait
pas bien …
Il appela
le médecin.

Le médecin dit :
« Faites aah … »
Le loup répondit :
« Caca boudin ! »
Alors, le médecin
s'exclama :
« **Mais !**
vous avez mangé
mon petit lapin ! »

Le médecin
qui n'avait peur de
rien
alla chercher
son
petit

lapin.

Lorsque le papa lapin
retrouva son petit, il dit :
« Ah ! mon petit
Caca boudin ! »
Le petit lapin, fort surpris,
s'exclama :
« Mais enfin, cher père,
comment osez-vous
m'appeler ainsi ?
Je m'appelle
Simon,
vous le savez bien ! »

De retour à la maison,
sa maman lui dit :
« Mange ta soupe,
mon petit lapin ! »
Il répondit :
« Oh oui !
comme c'est exquis ! »
Mais le lendemain matin,
lorsque son papa lui dit :
« Brosse tes dents,
mon petit lapin »,
il répondit :

Prout !

Première édition dans la collection lutin poche : mai 2004
© 2002, l'école des loisirs, Paris
Loi numéro 49 956 du 16 juillet 1949 sur les publications
destinées à la jeunesse : septembre 2002
Dépôt légal : Mai 2006
Imprimé en France par Mame à Tours